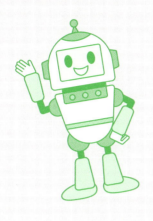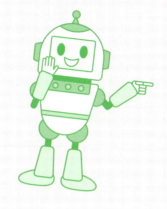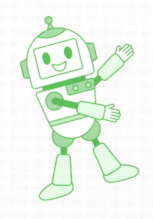

はたらくロボットずかん

まちではたらくロボット

監修 平沢岳人
（千葉大学大学院工学研究院教授）

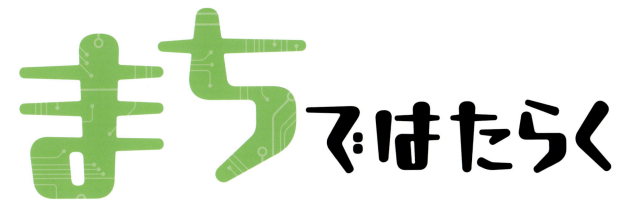

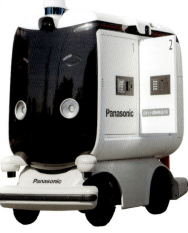

小峰書店

はじめに

まちにロボットがやってきた！

今、まちの中では、たくさんのしゅるいのロボットたちがはたらいています。みなさんも、水族館で道案内や生きもののせつめいをしたり、レストランで料理をはこんだりするロボットを見かけたことがあるかもしれません。

そして、近い将来には、ロボットが荷物を家まではこび、出かけるときは目的地までつれていってくれる自動運転車で行くようになる日が、きっと来るはずです。

まちには多くのしごとがあり、お店や会社といったはたらく場所があります。これからも、まちのしごとでロボットがかつやくすることがふえ、その役わりも大切になっていくことでしょう。

このシリーズでは、今、かつやくしているロボットや、これからかつやくしそうなロボットをしょうかいします。この本では、まちの中ではたらくロボットたちを見ていきます。

この本を読み終えたみなさんは、大人が考えもしなかった「まちではたらくロボット」を思いつくかもしれません。そんなふうに、みなさんがロボットに少しでも興味をもつきっかけに、この本がなれたのなら、とてもうれしく思います。

平沢岳人
（千葉大学大学院工学研究院教授）

この本の見方

ロボットの名前や大きさがわかります。

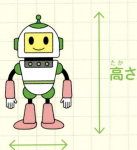

高さ
はば

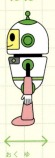

「奥行き」は、ロボットのしゅるいや形によって、「長さ」にかわる場合があります。

奥行き

どのようなときに、人間の手だすけをしてくれるロボットなのかがくわしく書かれています。

どうして、このロボットがつくられたかが書かれています。

ロボットがつくられる、きっかけとなった、人間の「こまりごと」がわかります。

このロボットがあれば、わたしたち人間に、どのように役立つかがわかります。

ロボットがどのようなしくみで、うごいたり話したりしているかがわかります。

どこがすごいのか、ロボットのひみつがわかります。

「もっと知りたい！ はたらくロボット」では、ほかにもかつやくしているロボットたちをしょうかいします。

名前や大きさ、どのようなロボットなのか、ロボットの「ここがすごい！」ところがせつめいされています。

ぼくは、ロボタ。この本を案内するよ。さあ、まちではたらく、ぼくのなかまたちを見にいこう！

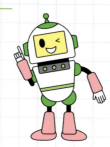
まちではたらくロボットたち

案内ロボット 6ページ
パトロールロボット 22ページ
接客ロボット 10ページ
配ぜんロボット 28ページ
分身ロボット 29ページ
調理ロボット 30ページ

この本では、まちの中ではたらくロボットたちをしょうかいします。
近ごろは、レストランで料理をはこぶロボットをよく見かけますね。
ロボットが、どのように人をたすけてくれているのか、見ていきましょう。

自動運転車
14ページ

配送ロボット
18ページ

歩行速ロボット
31ページ

ゆかそうじロボット
26ページ

ごみばこロボット
27ページ

生きもののことを楽しく教えてくれる
案内ロボット

名前	ペリン
はば	61cm
奥行き	68cm
高さ	102cm
重さ	35kg

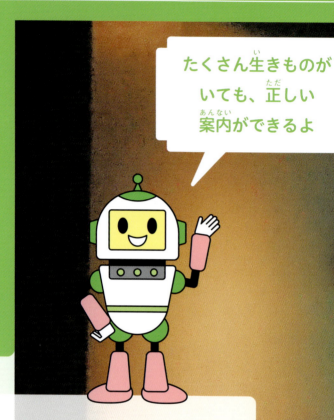

たくさん生きものがいても、正しい案内ができるよ

　ペリンは、水族館に来たお客さんのために、案内をするロボットです。広いしせつの中を見たい生きもののところまで、道案内してくれたり、水族館にいる生きものについてのせつめいをしてくれたりします。

　ペリンだけでなく、ほかの案内ロボットも、図書館や博物館など、まちのいろいろな場所でかつやくしています。

このロボットは、どうしてつくられたのでしょう？

ペリンについているディスプレーは、知りたいことを指でさわってえらべるタッチパネルです。子どもでも、かんたんにつかえるので、生きもののおもしろい話を知ることができます。

写真：下町ロボット（プラネックス）

このロボットは、しせつの案内をするためにつくられました！

水族館の人のこまりごと

お客さんに、もっと生きもののことを知って、楽しんでほしいです。

外国の人のこまりごと

アメリカから来たのですが、日本語のせつめいだとよくわかりません。

楽しい案内でお客さんをおもてなしできる

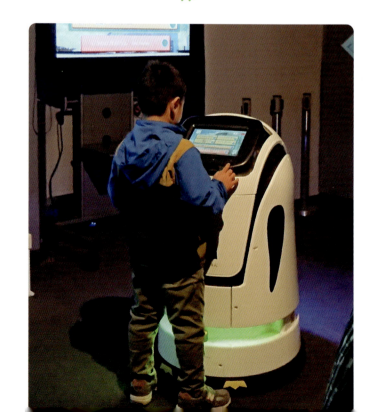

　ペリンは、水族館にいる生きもののおもしろい話をしながら、楽しく案内ができるロボットです。同じ話をつかれることなく、くりかえしすることができます。

　このロボットがあれば、多くの人に楽しい案内をすることができるので、「水族館に来てよかった」とよろこんでもらえます。

教えて！ロボットのしくみとひみつ

しくみ

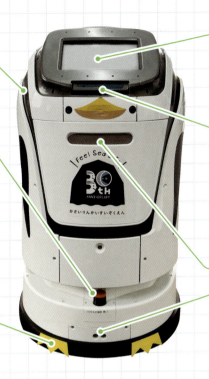

スピーカー
生きもののせつめいが音声でながれます。

レーザーセンサー
目に見えない光を当てて、まわりのものを見分けます。後ろにもあってぐるりと見わたせるので、水族館の中で自分の場所がわかります。

バンパーセンサー
人やものが近づいて、ぶつかりそうになっても、かるくふれただけで安全に止まります。

ディスプレー
指でさわって知りたい案内をえらべます。案内中の生きもののせつめいをします。

カメラ
移動中もさつえいをして、水族館の中にあるものと、自分とのきょりをはかります。

超音波センサー
人には聞こえない「超音波」を当てて、はねかえってきた時間を計算し、お客さんとのきょりをはかります。

ひみつ1　外国のお客さんにも案内できるの？

下の写真は、ペリンが中国からのお客さんに案内をしているようすです。ペリンは日本語だけでなく、英語や中国語、韓国語でも案内ができます。外国の人も、日本人と同じせつめいを聞くことができるのです。

ひみつ2　どのように案内するの？

ペリンは水族館の生きものについて、声を出してせつめいしてくれます。ペリンが案内をしている間は、顔の上にあるディスプレーでも、案内をしている生きものの写真やせつめいがうつしだされます。

9

お客さんに料理をはこんで、食器もかたづける

接客ロボット

名前	ニョッキー（Nyokkey）
はば	50cm
奥行き	60cm
高さ	150〜190cm
重さ	75kg

2本の長いうでを
じょうずにつかって、
はたらいているね

　ニョッキーは、人間にかわってレストランでお客さんを案内し、料理もはこぶことができる接客ロボットです。接客とは、お客さんをおもてなしすることです。
　ニョッキーは、2本の長いうでをもち、ものをつかめます。そのため、料理をはこぶだけでなく、テーブルの上にならべることができます。また、食事がおわったあとは、食器のかたづけもします。

このロボットは、どうしてつくられたのでしょう？

写真：川崎重工業

料理は、トレーにのせてはこびます。トレーをつかんでテーブルにおくと、「ご注文の料理でございます。ごゆっくりどうぞ」とお客さんに声をかけます。

このロボットは、いろいろなしごとを手つだうためにつくられました！

レストランの人のこまりごと

料理をはこぶ人が足りなくて、いそがしい時間はとてもたいへんです。

ロボットをつくった人のねがいごと

いろいろなしごとができるロボットをつくって、社会のために役立てたいです。

レストランだけでなく、ほかの場所でもかつやくできる！

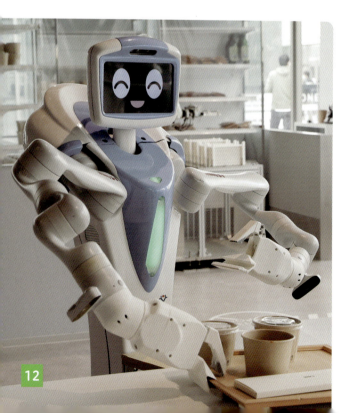

　ニョッキーはもともと、病院で新型コロナウイルス感染症の人を見まもるためにつくられました。しかし、うでをもち、自分でうごけるニョッキーは、今、レストランのしごとをしています。

　このロボットがあれば、レストランの中を自動でうごき、食事をはこんでくれます。また、パトロールや配送など、ほかのしごとでも、人間をたすけることができます。

教えて！ ロボットのしくみとひみつ

しくみ

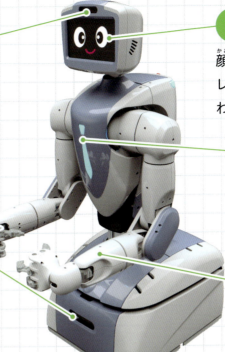

3Dカメラ
人やものを見分けて、ぶつかるのをさけ、安全にすすめます。左右の手首にもカメラがついていて、ものをもつときにつかいます。

ディスプレー
顔がタッチパネルのディスプレーになっていて、指でさわって行き先をきめられます。

LEDライト
光ることで、今、うごいているか、止まっているかをまわりに知らせます。

レーザーセンサー
台車の前と後ろにあります。目に見えない光を当てて、まわりの場所の広さや、おいてあるものの大きさをはかります。また、建物の中の自分のいる場所をたしかめられます。

アーム
人間のうでの役目をするところ。6kgまでの重さのものをもって、はこべます。

ひみつ1 どこのレストランではたらいているの？

東京の羽田空港の近くにある、ロボットが料理をつくり、はこんでくる「AI_SCAPE」というレストランです。ここは、ロボットだけではたらくと、どんなことがおこるかをたしかめるためにつくられた場所です。

ひみつ2 移動するときも、うでをつかうの？

人間が移動するときは、手をつかってへやのドアをあけたり、エレベーターにのってボタンをおしたりします。人間と同じように、移動するときは、ニョッキーの2本のうでと手が役に立つのです。

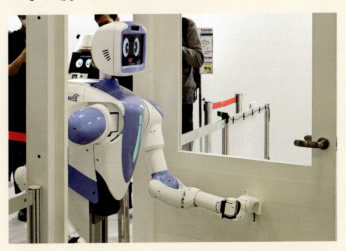

13

自動で人やものをはこぶ、ゆめののりもの！

自動運転車

名前
サイバーキャブ
（Tesla Cybercab）

名前
ロボバン
（Tesla Robovan）

※サイバーキャブとロボバンは、大きさなどのくわしいことはまだ発表されていません（2025年3月現在）。

サイバーキャブとロボバンのような自動運転車は、アメリカだけでなく、日本や世界中の自動車をつくる会社で、研究がすすめられています。

どっちも運転手はいらないんだね

2024年10月、電気自動車をつくっているアメリカの会社が、新しい自動車の発表をおこないました。それが、**サイバーキャブ**と**ロボバン**です。この２つは、「自動運転車」とよばれる、自動車の形をしたロボットです。自動運転車は、人間にかわって運転してくれます。目的地につくまで、安全で楽しい時間をすごすことができる「ゆめののりもの」といわれています。

このロボットは、どうしてつくられたのでしょう？

写真：テスラジャパン

このロボットは、交通じこをへらすためにつくられました！

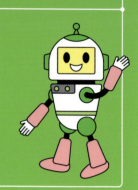

運転する人のこまりごと

じこはおこしたくないですが、運転するときのミスをなくすのはむずかしいです。

バスを利用していた人のこまりごと

のる人がへったため、バスがなくなって、病院や買いものに行くのりものがなく、こまっています。

交通じこがへり、だれもが安心して利用できる！

毎年、交通じこによって、たくさんの人がいのちをおとしたり、大けがをしたりしています。

このロボットがあれば、運転する人の不注意や、運転ミスはなくなり、交通じこがへるといわれています。また、運転手がいらないので、すきな時間によびだせて、すぐに目的地へ行くことができるようになります。

教えて！ロボットのしくみとひみつ

しくみ

2つの目

人工衛星…地球のまわりを回っている、人工衛星からおくられてくる情報で、自分がどこにいるかがわかります。自分がいる場所、目的地までの道順を知ることもできます。

カメラ…自動車の前や後ろ、横にとりつけられています。まわりにあるものを見つけて、大きさやうごくはやさ、自分とのきょりをはかります。

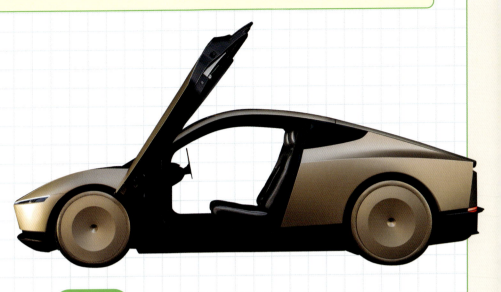

頭

AI…AIは、日本語で「人工知能」といいます。自分で学ぶ力をもっていて、頭がよくなっていくコンピューターです。自動運転車にはAIが組みこまれていて、どううごかすかをきめていきます。

ひみつ1 サイバーキャブって、どうやって利用するの？

サイバーキャブは運転手のいない、自動運転のタクシーです。のる人はスマートフォンをつかって、今いる場所と行き先を入れます。サイバーキャブが来たら、ドアからのるだけで目的地につれていってもらえます。

ついたら、自動でドアがひらきます。

ひみつ2 サイバーキャブやロボバンの車内はどうなっているの？

サイバーキャブとロボバンの車内は、ハンドルもアクセルもありません。大きな画面のディスプレーとシートがあるだけです。サイバーキャブはふたりのりで、ロボバンは20人くらいの人をはこべる広さがあります。

サイバーキャブの車内のようす。

ロボバンの車内のようす。

お弁当や薬、いろいろな品物をはこぶ
配送ロボット

名前	ハコボ
はば	65cm
奥行き	117cm
高さ	115cm
重さ	120kg

ハコボは、まちの中を自動で走り、とどけたい人のところへ荷物をはこんでくれる配送ロボットです。お客さんが配送をたのんだお弁当や薬、インターネットで買ったいろいろな品物をはこぶことができます。

ハコボは道路を走れるロボットなので、交通ルールをまもり、人間が歩くくらいのはやさですすみます。

このロボットは、どうしてつくられたのでしょう❓

配送をする会社には、ハコボがおくってくる映像をたしかめるしごとをする「オペレーター」という人がいます。オペレーターは、ひとりで何台ものハコボを見まもります。ロボットからはなれた場所で見まもれるので、いろいろな人が配送のしごとをできるようになります。

注文したものをすぐにはこんでくれるよ

写真：パナソニック ホールディングス

このロボットは早く荷物をとどけるためにつくられました！

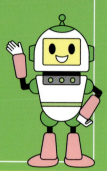

運送会社の人のこまりごと

荷物をはこぶ人が足りなくて、お客さんを何日もまたせています。

お客さんのこまりごと

インターネットで買いものをして、配送をたのんだのですが、何日もまっています。

人間にかわって、いろいろなところに早く荷物をとどけることができる

荷物をとどけるしごとは、今、人が足りていません。このままでは、何日もまたないと荷物がとどかなくなるといわれ、大きな問題になっています。

このロボットがあれば、たのんだ荷物を人間のかわりにはこんでくれるので、早くうけとれます。これからは朝早くから夜おそくまで、配送ロボットがかつやくするといわれています。

教えて！ロボットのしくみとひみつ

しくみ

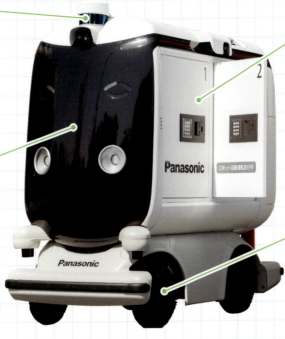

センサー
まわりに目に見えない光を当てて、はねかえってきた時間を計算し、人やものとのきょりをはかります。

顔と声
目とまゆげで「ほっとした顔」「やる気の顔」「こまった顔」をします。また、「出発します」「お先にどうぞ」など、いくつかのことばを話します。

キャビン
荷物を入れるところ。入れる荷物によって、大きさや形をかえることができます。

タイヤ
人が歩くくらいのはやさですすみます。人や自動車がとびだしてくると、急ブレーキがかかります。

ひみつ1 どうやって注文やうけとりをするの？

注文した人は、品物をうけとる時間と場所をスマートフォンをつかってきめます。品物をはこんできたハコボが、うけとり場所に近づくと、注文した人のスマートフォンに知らせがとどき、品物をうけとることができます。

ひみつ2 交通ルールをちゃんとまもれるの？

ハコボは道路を走るので、交通ルールをかならずまもります。歩く人と同じように歩道を走り、赤信号で止まり、横断歩道をわたります。人がとびだしてきても、センサーで気づき、すばやくブレーキをかけて安全に止まります。

駅や店、ビルの中を自動運転で見回る

パトロールロボット

名前	パトロ（PATORO）
はば	65.4cm
奥行き	80cm
高さ	108.9cm
重さ	99kg

パトロは、人間のかわりに、あやしいうごきをする人がいないか、だれのものかわからないきけんな荷物がないかを見回る、パトロールロボットです。

頭に青いランプをつけて、目をうごかしながら、人が歩くくらいのはやさで、駅や店、ビルの中をパトロールします。夜は子どもの帰り道のつきそいもできて、つきそい中はまわりを録画できます。

このロボットは、どうしてつくられたのでしょう？

パトロは、見回りをしているときに、問題がおこったら、けいび室に知らせてくれます。知らせがあったときは、人間のけいびいんがその場所にかけつけます。

写真：ZMP

このロボットは、まちの安全をまもるためにつくられました！

けいびをする人のこまりごと

けいびいんの数が足りなくて、何か所もパトロールしています。

子どものこまりごと

じゅくに通っていて、帰りが夜になるので、少しこわいです。

昼も夜もパトロールをして、安心してくらせるまちにしてくれる

まちの安全をまもり、みんなが安心してくらすためにも、パトロールは大切なしごとです。しかし、人手不足が心配されているしごとでもあります。

このロボットがあれば、人間のけいびいんにかわって、昼も夜も休まず、24時間パトロールをしてくれるので、まちの安全がまもられます。

教えて！ロボットのしくみとひみつ

しくみ

3Dセンサー
目に見えない光を当てて、まわりの場所の広さや、おいてあるものの大きさ、自分とのきょりをはかります。

カメラ
前のこのカメラのほかに、左右、後ろにもカメラがあって、まわりの人やものを見分けます。

センサー
人やものに気づきます。近づきすぎたときは、安全に止まります。

パトランプ
パトロール中は青く光り、回転させることで、自分がいることをまわりに知らせます。

スピーカー
声を出すところ。外からは見えませんが、体の中にあります。

ひみつ1 どうして、人やものにぶつからないの？

自分のすすむ先に人がいたり、ものがおいてあったりすると、カメラやセンサーで気づいて、自動でよけて通ります。小さめのロボットなので、せまい通路を通ったり、エレベーターにのりこんだりするのもとくいです。

ひみつ2 どうやって人間とやりとりするの？

目と声で自分の気もちをつたえられます。うれしいときは、キラキラと光る目でよろこびます。自分でまわりの人を見て、スピーカーで「こんにちは」とあいさつしたり、「道をおゆずりください」とおねがいしたりもします。

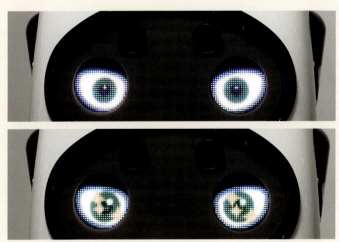

もっと知りたい！ はたらくロボット

はきそうじも、ふきそうじもできる
ゆかそうじロボット

名前	J30S
はば	39cm
奥行き	39cm
高さ	108cm
重さ	27.5kg

ディスプレー
トレー

ここがすごい！

サイドブラシで、ほこりをはき、ローラーモップで、ふきそうじをします。センサーがついているので、人やものにぶつからずに、そうじをすることができます。

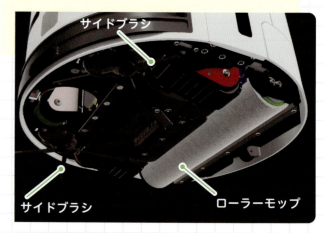

サイドブラシ
サイドブラシ
ローラーモップ

　J30Sは、コンビニやスーパーマーケットで、店員さんにかわって自動でゆかそうじをするロボットです。細いので、せまい場所も通りぬけて、すみずみまでそうじをします。また、そうじをしながらディスプレーにおすすめの品物のコマーシャルをながして、トレーにその品物をおいて店の中を回ることができます。

26　写真：アイウイズロボティクス

人とたすけあってはたらく
ごみばこロボット

ソーシャブルトラッシュボックスは、ごみを見つけると、ヨタヨタとごみに近よります。しかし、自分でごみをひろうことはできません。人のいるほうへ口をむけ、ひろってほしいというしぐさをします。気づいた人が、ごみをひろって入れると、おじぎをします。人に「たすけたい」と思わせるロボットです。

ここがすごい！

たよりなく弱いものは、人の「たすけたい」と思う気もちを引きだします。そのため、キョロキョロしたり、ヨタヨタ歩いたりするように、つくられました。

名前	ソーシャブル トラッシュ ボックス (Sociable Trash Box)
はば	30cm
奥行き	30cm
高さ	40cm
重さ	4kg

写真：豊橋技術科学大学

自動で料理をはこんでくれる
配ぜんロボット

バディは、レストランで料理やのみものを、お客さんのところまで、はこんでくれる配ぜんロボットです。ゆかにはられたしるしを読みとって、自動ですすみます。お客さんに、声で案内をすることもできるので、子どもたちにも人気があります。

名前	バディ（BUDDY）
はば	51cm
奥行き	65cm
高さ	90cm
重さ	25kg

ここがすごい！

3つのたなをつかって、一度にたくさんの料理を、はこぶことができます。コップいっぱいに、そそいだのみものも、こぼさずにはこびます。

写真：ソーシャルロボティクス

もっと知りたい！ はたらくロボット

はなれていても、かわりにうごいてくれる
分身ロボット

　オリヒメ-Dは、インターネットをつかってうごかすことができる、分身ロボットです。しごとをしたくても、体に障がいがあってできない人、子そだて中の人や家で病気の家族の世話をしている人でも、遠くはなれた場所で、自分のかわりにオリヒメ-Dをうごかすことで、しごとをすることができます。

名前	オリヒメ-D（OriHime-D）
はば	60cm
奥行き	60cm
高さ	120cm
重さ	30kg

©OryLab Inc.

ここがすごい！

　オリヒメ-Dには、カメラやマイク、スピーカーがついています。東京の日本橋の「分身ロボットカフェ」では、外に出ることがむずかしい人が、家にいながらオリヒメ-Dをうごかしています。お客さんと話して、席に案内をしたり、注文をとったりしています。

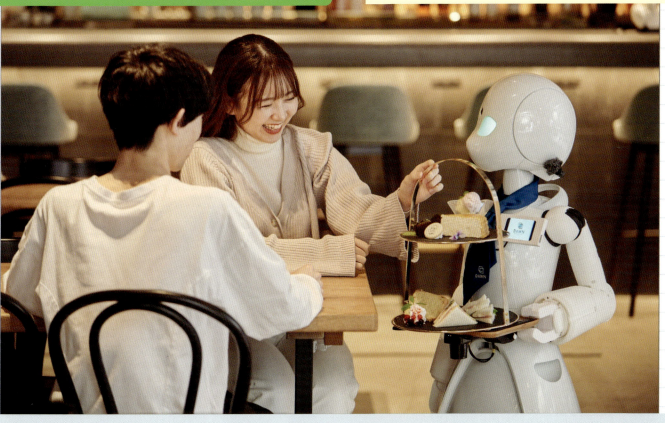

写真：オリィ研究所

いためものの料理をつくってくれる
調理ロボット

アイロボ2は、やきそばやチャーハンなどの、いためものの料理を、自動でつくってくれる調理ロボットです。タッチパネルからメニューをえらんで指でおすと、なべとヘラをつかって、あっという間においしい料理ができあがります。つくったあとは、道具も自動であらってくれます。

ここがすごい！

アイロボ2は、いためるときの温度や時間、なべを回転させるスピードを、料理に合わせて自動でかえてくれます。人間が材料を入れると、アイロボ2が調理し、1時間に30人分の料理がつくれます。

名前	アイロボ2（i-Robo2）
はば	70cm
奥行き	70cm
高さ	132cm
重さ	130kg

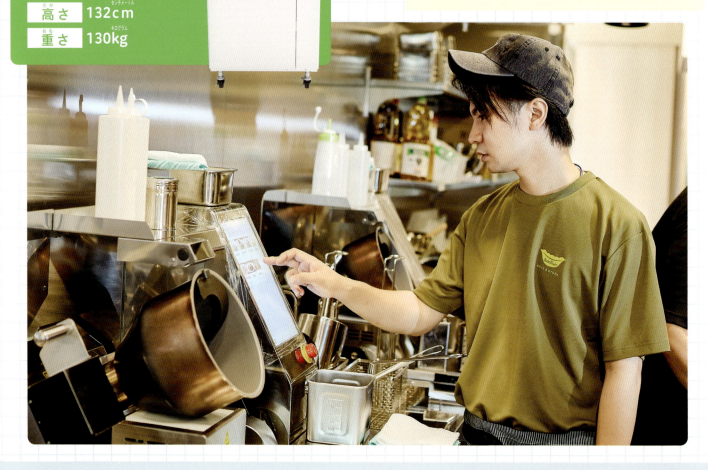

写真：TechMagic

もっと知りたい！ はたらくロボット

人が歩くくらいのはやさですすむ
歩行速ロボット

ラクロは、人が歩くくらいのはやさで歩道をすすむ、ひとりのりのロボットです。車いすのように後ろからおさなくても、自動でうごきます。タブレットに行き先を入れると、目的地まで自動ではこんでくれます。信号のある道路では、交通ルールをまもって、赤信号できちんと止まります。

ここがすごい！

ラクロは、動物園や観光のさかんなまちで、かつやくしています。ラクロをつかえば、歩きつかれることなく、ゆっくりと、動物やけしきを見て回ることができます。

名前	ラクロ（RakuRo）
はば	66.3cm
奥行き	118.8cm
高さ	109cm
重さ	110kg

写真：ZMP

監修

平沢 岳人
ひらさわ・がくひと

千葉大学大学院工学研究院教授。1964年生まれ。東京大学建築学科卒業、同大学院工学研究科修了、博士（工学）。建設省（当時）建築研究所第四研究部、仏建築科学技術センター(CSTB)客員研究員、仏国立情報学自動制御研究所(INRIA)招聘研究員を経て、2004年より千葉大学工学部助教授。建築ものづくりにロボットを応用する研究に従事。

国語指導

流田 賢一
ながれだ・けんいち

大阪市立堀川小学校教諭。1982年、大阪府出身。2005年、大阪教育大学教育学部卒業後、大阪市立西淡路小学校に教員として勤務する。2015年、国語科の授業づくり、社会で必要となる力の育成について研究したいという思いから、大阪教育大学連合教職大学院に進学。現在、大阪市立堀川小学校で、首席として他の教職員の指導にもあたっている。

協力企業・団体一覧（掲載順）

下町ロボット株式会社（株式会社プラネックス）／川崎重工業株式会社／Tesla Japan合同会社／パナソニック ホールディングス株式会社／株式会社ZMP／株式会社アイウイズロボティクス／国立大学法人豊橋技術科学大学／SOCIAL ROBOTICS株式会社／株式会社オリィ研究所／TechMagic株式会社

監修	平沢岳人
国語指導	流田賢一
装丁・本文デザイン	倉科明敏（T.デザイン室）
企画・編集	山岸都芳・渡部のり子（小峰書店） 川邊剛彦・古川貴恵・楠本和子・渡邊里紗（303BOOKS）
イラスト	バーヴ岩下

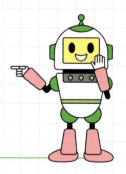

はたらくロボットずかん❷
まちではたらくロボット

2025年4月6日　第1刷発行

乱丁・落丁本はお取り替えいたします。
本書の無断での複写（コピー）、上演、放送等の二次利用、翻案等は、著作権法上の例外を除き禁じられています。
本書の電子データ化などの無断複製は著作権法上の例外を除き禁じられています。代行業者等の第三者による本書の電子的複製も認められておりません。

発 行 者　小峰広一郎
発 行 所　株式会社小峰書店
　　　　　〒162-0066 東京都新宿区市谷台町 4-15
　　　　　TEL 03-3357-3521　FAX 03-3357-1027
　　　　　https://www.komineshoten.co.jp/
印刷・製本　TOPPANクロレ株式会社

© 2025 Komineshoten Printed in Japan
NDC548　31p　29×23cm
ISBN978-4-338-37102-5

ロボットをしょうかいしよう！

書き方のれい すきなロボットをえらんで、ロボットせつめい書をつくりましょう。

ロボットせつめい書　2年 2組　名前 こみね みこ

自分がしょうかいしたいロボットをえらんで、□に✓を入れましょう。

☑ 6〜25ページにのっているロボット　　□ 自分で考えたロボット

えらんだロボットの名前を書きましょう。

ロボットの名前 ペリン

ロボットの絵

●どこで、どんなことをするロボットですか？

水ぞくかんで、おきゃくさんに、水そうの中の生きものについて、くわしくせつめいをしてくれる、あんないロボットです。

ロボットがいる場所とできることを書きましょう。

えらんだロボットの絵をかきましょう。

●だれのどんなこまりごとから、つくられましたか？

水ぞくかんの人は、おきゃくさんに生きもののことをもっと知って、水ぞくかんを楽しんでほしいと思っています。

●どんなしくみやひみつがありましたか？

ペリンのディスプレーは、生きものを指でさわってえらべたり、しゃしんをうつしてせつめいしたりできます。

ロボットがつくられたきっかけを1つ書きましょう。

すごいと思ったしくみやひみつを1つ書きましょう。

●このロボットがあれば、わたしたち人間に、どのように役立つと思いましたか？

せつめいの字が読めないことがあってこまっていましたが、ペリンがいれば、声でせつめいしてくれるので、わかりやすそうだと思いました。それから、えい語や中国語も話せるので、ほかの国の人たちも楽しめる水ぞくかんになると思いました。

ロボットがどのようにかつやくし、わたしたちの役に立っているのかを書きましょう。

大阪市立堀川小学校教諭　**流田賢一先生**より

「ロボットせつめい書」に書かれた質問の答えを、本の中からさがします。クイズに答えるように、大事な言葉を見つけましょう。「だれのどんなこまりごとから、つくられましたか？」という質問の答えは、だれかの「こまりごと」が本の中に書かれているはずなので、さがしてみてください。なんども書くと、短い言葉でせつめいできるようになります。自分で考えたロボットのせつめいにも、つかってみてくださいね。

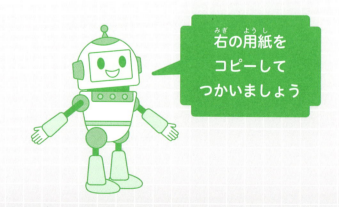

右の用紙をコピーしてつかいましょう